Sawl Math o Gath

Gwyn Thomas

Lluniau: Jac Jones

Argraffiad cyntaf: Awst 2002

ⓒ Lluniau: Jac Jones
ⓒ Testun: Gwyn Thomas
ⓗ Gwasg Carreg Gwalch

Rhif Llyfr Safonol Rhyngwladol:
0-86381-782-3

Cynllun clawr: Jac Jones

Argraffwyd a chyhoeddwyd gan Wasg Carreg Gwalch,
12 Iard yr Orsaf, Llanrwst, Dyffryn Conwy, LL26 0EH.
☎ 01492 642031
🖷 01492 641502
✆ llyfrau@carreg-gwalch.co.uk
lle ar y we: www.carreg-gwalch.co.uk

CYNNWYS

SAWL MATH O GATH

Robin ydi f'enw i. Mae yna rai yn fy ngalw i'n Robin Busnes – meddwl fy mod i'n gwthio fy nhrwyn i fusnes pobol eraill, mae'n siŵr gen i. Ac yn wir, efallai eu bod nhw'n iawn, efallai fy mod i'n dipyn o fusnes. Ond, os ydw i, busnesa o ran diddordeb yn y byd a'i bethau y bydda' i. Y byd a'i bethau medda fi: `fuasen' nhw ddim yn diolch imi am eu galw nhw – o bawb – yn bethau. Y NHW, ichi gael deall, ydi cathod y lle yma. Mi fydda' i wrth fy modd yn eistedd ar yr hen fainc yma, sydd ym mhen ein stryd ni, ar ddiwrnod go braf i'r adeg yma o'r flwyddyn (er ei bod hi wedi glawio yn y nos) yn gwylio'r byd a'i gathod yn mynd o gwmpas eu pethau. Yr ydw i, a dweud y gwir wrthych chi, yn dipyn o ddyn cathod; mae gen i gryn dipyn i'w ddweud wrthyn' nhw – hen greaduriaid nobl iawn ar y cyfan, nobl iawn. Hyd yn oed Ffred.

Pam sôn am Ffred? Wel mi gwela' i o'r funud yma; mae o newydd ddod allan o'r tŷ, Rhif Deg, tŷ Joni Clustiau – clustiau braidd yn amlwg ganddo fo'r hen greadur – a'i wraig Blodeuwedd Parri. Mae Ffred Cochyn newydd gael ei frecwast, llond powlen o Kattomeat 'fuaswn i'n meddwl – wel dyna beth oedd gan Blodeuwedd yn ei basged ddoe wrth ddod o Kwiks, beth bynnag. Mae Ffred Cochyn – Cochyn am ei fod o'n goch – yn glamp o fwngrel o beth, rhywbeth yn debyg i glustog go nobl wedi ei stwffio'n flêr. Mi fetia i mai'r peth cyntaf a wnaiff o ydi cael sbec i weld be' sy yna ym mun lludw Mrs Jones, Rhif Saith. 'Rargian annwyl! Mi ddwedais i fod Ffred yn gath go nobl, ond pwy fuasai'n meddwl y gallai o droi bun drosodd. Mae yna bob math o anialwch ar hyd y palmant: mi fydd Mrs Jones o'i cho' pan ddaw hi allan a gweld y llanast. A chyn sicred â 'mod i yn fan'ma, yr hen Bonso, ci Rhif Naw, gaiff y bai – fel'na y mae hi bob tro. Bonso druan!

CATH 1

FFRED:

Miâw! Os gwn i be' mae'r hen jiadan yma wedi ei gael yn swper neithiwr. Mi snwffia i ynghanol y bocsys yma ... Rydw i'n meddwl ... rydw i'n meddwl 'mod i'n clywed oglau cipars. 'Does yna ddim byd yr ydw i'n ei enjoio'n well ar ôl brecwast na chipar neu ddau. Rŵan, dowch inni weld be' sy yna yn y bocs mawr yma, hwn sy â'i gaead o wedi'i stwffio i mewn iddo fo. Hy! Cornfflêcs, a'r rheini wedi mynd yn feddal. 'Wn i ddim sut y mae gan neb stumog i fwyta cornfflêcs ar y gorau, ond y mae cornfflêcs meddal yn ddigon i godi pwys ar gi hyd yn oed.

A sôn am gŵn, rhaid imi fod yn ofalus rhag i'r Bonso hanner call yna gael ei ollwng allan. Dyna ichi lembo o gi, os gwelais i un erioed, yn neidio o gwmpas yn wirion a'i glustiau'n fflopian yn y gwynt, neu'n gorwedd ac yn edrych yn druenus ar Lisi Huws, ei feistres. 'Dydi Lisi Huws ddim llawer callach, a dweud y gwir – mae'r ddau yna'n ei gwneud hi'n iawn efo'i gilydd.

> Dau lembo ynghyd
> Ar eu taith drwy y byd,

fel y dwedodd fy nghefnder, Cynan y Cathfardd, os ydw i'n cofio'n iawn.

A be' ydi hwn? Bocs arall. Bocs siwgwr. 'Does gen i fawr i'w ddweud wrth siwgwr, chwaith. Stwff di-flas iawn y bydda' i'n ei gael o, a'r peth gwaethaf un at eich dannedd chi. Iawn i gŵn, ac i bobol.

A! Be' ydi hwn? Hm! Dyma imi – os nad ydw i'n camgymryd – gipar ... Blwmin hec! Be' mae'r ddynes yma wedi ei wneud i'r truan yma? Dim ond ei gynffon o ar ôl. Nefi! Mae bwyta'r gynffon yma fel bwyta blêds. Musus yntê! – cwcio pethau'n grimp. Allan yn hel straeon efo'r ddynas drws nesa yna, mae'n siŵr, ac anghofio am y cipar druan oedd yn prysur droi'n golsyn yn y gegin. Mi ddigwyddodd rhywbeth tebyg y diwrnod o'r blaen – yr hadog wedi berwi'n sych. 'Fuasai waeth i rywun dreio bwyta tjiwing gym ddim na threio bwyta'r hadog dienaid hwnnw.

Ych-a-fi! Os oes yna un peth sy'n waeth gen i na chornfflêcs meddal, gweddillion pryd-allan Tjeinîs ydi hynny. Sbïwch, mewn difri, ar y slwtj melyn, afiach yma. Mi fuasai'n ffitiach i rywun roi Delia Smith yn anrheg i madam, efallai y byddai hynny'n gwella'i chwisîn hi.

ROBIN
Arhoswch funud. Mae Musus Jones yn agor ei drws yn slei bach, ac y mae ganddi hi lond jwg o ddŵr, debyga' i, yn un llaw. Ar f'enaid i, mae hi'n taflu'r dŵr am ben yr hen Ffred. SBLASH!

FFRED
MIAAAWW!

MRS JONES
Cer o 'ma'r cochyn cwrcyn i droi buniau pobol. Mi ro i dro yn gorn gwddw di os doi di'n agos at fan'ma eto. A finnau wedi bod yn cwyno am Bonso druan, yn gwneud cam â chi yn ei fater.

ROBIN
Wel wir, 'welais i neb yn symud mor sydyn ers blynyddoedd. Ffred yn troi'n strimyn coch ac yn gadael llwch ar ei ôl – gobaith Cymru yn y Gemau Olympaidd 'taech chi'n gofyn i mi.

FFRED

Ŷ... ŷ ... ŷ ... wedi colli 'ngwynt yn lân. Blwmin hec, be' sy ar y ddynes! Fawr o hwyliau ar Musus heddiw, mae hynny'n reit sâff ... Fawr o hwyl arnaf finnau chwaith ar ôl cael jygiad o ddŵr heibio 'nghlustiau.

Aha! A be' ydi hwn? Papur newydd wedi ei lapio am rywbeth. Rŵan 'te, dowch imi weld be' sy yna yn hwn. Helo! Efallai fy mod i'n lwcus ... Mae pethau'n edrych yn addawol. Hen bapur siop tjips ydi hwn. Gyda thamaid bach o lwc mi ddylwn i gael ... Ie! Tamaid o 'sgodyn. Iym-iym, hyfryd iawn, hyfryd iawn – er ei fod o'n oer.

A rŵan rydw i'n meddwl yr a' i draw at siop Jac Pysgod; hwyrach y do' i o hyd i rywbeth bach blasus yn fan'no i 'nghadw i i fynd tan amser cinio.

A dyma'r amser o'r bore pan mae hi'n bryd imi ganu fy nghân. Dim ond gobeithio y ca' i gynulleidfa sy'n gwybod rhywbeth am fiwsig.

> **CÂN FFRED**
> Iymi, iymi, iymi,
> Dw-i'n bwyta i gadw f'ynni,
> Dw-i'n bwyta deg o bysgod bob dydd.
> Iymi, iymi, iymi,
> Mi hoffwn fwyta byni,
> Mi hoffwn fwyta byni bob dydd.
>
> Iymi, iymi, iymi,
> Yr hyn sy'n mynd â'm ffansi
> 'Di morfil mawr i'w fwyta bob dydd.
>
> Iymi, iymi, iymi,
> Iymi, iymi, iymi,
> Iymi, iymi, iymi.

ROBIN

A dacw ichi Ffred Cochyn yn bolio mynd – am siop Jac Pysgod reit siŵr ichi.

Ond arhoswch chi funud ... pwy wela' i'n dŵad yn fan'cw? Mrs

Evans-Evans a Babette. Cath o Seiám ydi Babette, un lwydwen, fain, las ei llygadau, ond wedi ei magu yn Paris. Yn fan'no y cafodd Mrs Evans-Evans afael arni hi. Mi dalodd arian mawr amdani hi hefyd meddan nhw – ac y maen nhw yn siŵr o fod yn gwybod! Mi fuo'r hen gath mewn lle cadw am wythnosau cyn dŵad i mewn i'r wlad, druan bach. Os bydd hi'n ffit o dywydd mae Mrs Evans-Evans yn mynd â Babette am dro yn y boreau, ar dennyn – yr un fath â chi! Ond na fu gan yr un ci yn y byd dennyn mor grand â Babette, a hwnnw'n sownd wrth goler o ledr coch efo pethau tebyg i emau yn sgleinio ynddo fo. Hi ydi'r unig gath y gwn i amdani sy'n cael ei hebrwng fel hyn, ac sy'n disgwyl cael ei thendans gan bawb.

Wir! Edrychwch ar y ddwy yna'n cerdded y stryd, y naill mor larts â'r llall.

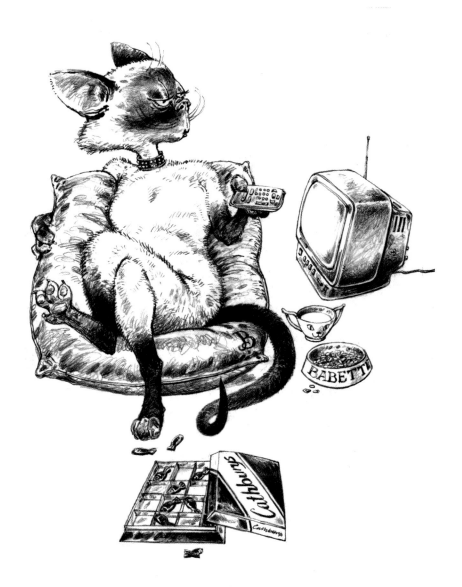

CATH 2

BABETTE
Miââw!

ROBIN
O! A! wel wir, mae Babette wedi rhoi ei throed mewn pwll o ddŵr. Rŵan am helynt! Mae hi wedi stopio ac y mae hi'n gwrthod symud yr un fodfedd yn ei blaen. Mae'n sicir o fod yn ei dweud-hi – mewn acen Ffrengig yn siŵr i chi, achos mai Ffrangeg oedd ei hiaith gyntaf hi.

BABETTE
A! ... Dŵr ... A hwnnw'n wlyb, gwlyb iawn. Ac y mae 'mhawen i'n diferyd. Be' yn y byd mawr y mae Madame yn dreio'i wneud! Pam na fuasai hi'n edrych yn iawn i weld ble'r oeddwn i'n mynd, yn lle gadael imi wlychu 'mhawen fel hyn ... *A! Zut alors!*

ROBIN
'Ddwedais i, do!

BABETTE
A rŵan mae Madame yn ceisio dweud fod yn ddrwg ganddi hi am ei blerwch ... Na, na; 'dydw i ddim am sbïo arni hi; rhaid imi ddysgu gwers fach iddi hi, fel na ddigwyddith hyn ddim eto –

17

pawen wlyb, wir! 'Wna' i ddim sbïo arni hi am bum munud ... Na, na Madame, 'waeth ichi heb â ffalsio; rydych chi wedi gwneud peth DRWG, drwg iawn. Na, na; rydw i'n gwrthod rhoi sws ichi ar eich trwyn. Ond mi wna i ganiatáu ichi fy nghario i – yn dyner, dyner Madame, *s'il vous plaît* – rhag ofn imi wlychu 'mhawen eto. Fe fyddai o'r peth hawsaf yn y byd imi gael hen annwyd hyll. Ymlaen â ni, rŵan, Madame.

A! Dacw'r hen gath fawr goman yna wrth siop bysgod Jacques. Ych-a-fi! Ych-a-fi! Mae'r Cochyn powld yna'n bwyta pennau pysgod oddi ar lawr! A 'doedd y Jacques yna – y jolpyn gwirion – ddim wedi golchi ei ddwylo cyn taflu'r pennau iddo fo. 'Dydi'r Cymry yma'n gwybod dim byd am heijîn. Mochyn – *cochon* – ddylai'r Cochyn yna fod. Ond, wir, rydw i'n gwrthod meddwl am y fath gari-dým am funud yn ychwaneg. Mae edrych ar rai fel'na'n codi pwys ar gathod sy wedi arfer efo pobol fawr, pobol sy'n gwybod be' ydi be'.

A! Mi wn i be' wna' i – mi wna' i i Madame fy rhoi i i lawr. Mi fewia i fy MIAW sy'n gorchymyn iddi hi fy rhoi i i lawr.

MIÂÂÂW!

Dyna ni, mae yna dipyn bach o ddealltwriaeth yn y wlad gomon yma wedi'r cwbwl, efallai. Diolch am fân fendithion ddyweda i. Rŵan, mi a' i â Madame draw at y siop ddillad bach ddel yma, *Très Chic*. Siop bach syml, efallai, ond y grandia' yn y lle yma. Er, wrth gwrs, 'dydi hi ddim yn grand ofnadwy – 'does yna ddim byd crand ofnadwy yn fan'ma, dim siop Givenchy nac Yves St Laurent, *ah mes chéris*. Ond y mae yna bethau bach reit ddel yma weithiau – wel, maen' nhw'n treio eu gorau. Mi fewia i fy MIAW sy'n gorchymyn i Madame stopio.

MIÂÂW!

Rydw i am sbïo i weld be' sy yn y ffenest ... Hm. Sgarff shiffón pinc digon dymunol. Mi fyddai o'n mynd yn reit ddel efo'r bwtîs y bydda' i'n eu gwisgo'r wythnos nesa pan fydda' i'n cael parti bach yn tŷ ni.

Wel, mae'n well imi sbïo ar Madame rŵan . Mi fewia i fy MIAW sy'n gorchymyn iddi hi fy nghodi 'n uwch.

MIÂW.

Dyna ni: mae hi wedi cael ei dysgu'n dda gen i – deall cryn

dipyn o orchmynion erbyn hyn. Ac mi adawa i iddi hi roi sws bach
– un sws bach – ar fy nhalcen i am ei bod hi'n wraig bach dda.
Dyna fo. Rŵan mae hi'n gwybod fy mod i am fynd i mewn i
fan'ma.

Iawn, iawn: trwy'r drws. Y ddwy hogan-siop yma'n falch o
'ngweld i, wrth gwrs. Mi wna i adael iddyn' nhw roi ô-bach imi am
dipyn rhag ofn imi eu siomi nhw.

Dyna ni; digon!

Rŵan, ble mae'r sgarff yna ... Dowch Madame, *s'il vous plaît!*

Eh, alors, dyma fo. Hwn rydw i ei eisio. Mi rwbia i fy nhrwyn
ynddo fo a chanu grwndi – GRWWWWW; GRWWWW – efallai y
deallith Madame a'r genod yma sydd, a dweud y gwir, yn eithaf
twp.

NA! NA NID HWN'NA!!

Mi fyddai hi'n braf bod yn rhywle lle y gall rhywun fel fi gael
sgwrs gall, lle y mae yna bobol efo jyst dipyn bach, bach o
synnwyr. Mi rwbia'-i fy nhrwyn yn y sgarff yma eto, a chanu
grwndi'n uwch.

GRWWWWW; GRWWWWW; GRWWWWW.

A! Maen' nhw wedi deall. O'r diwedd. *C'est formidable!* Dyna ni
... Neis, neis iawn ... Lapiwch o'n deidi rŵan, hogan. Iawn. O, wel,
mi adawa i i'r ddwy dwpsan yma roi sws bach imi am iddyn' nhw
wneud mor dda, ac ystyried mai bodau dynol ydyn' nhw.

A rŵan, Madame, am adre'.

ROBIN
Mae Babette wedi gwneud ei siopa `ddyliwn i. Mi eith adre' a
mynnu ychwaneg o dendans.

BABETTE
A, gartref! Dyna dro bach hyfryd – er imi wlychu'n nhwtsis yr yr
hen bwll budur yna ... Ie, dyna'r syniad iawn, Madame; tynnu'r
hen beth yna oddi ar fy ngholer i. Iawn. Estyn fy nghlustog felfed
i. *Merci.* Mi orwedda i yn fan'ma i gael gorffwyso tipyn bach. Mi
ddalia i fy nhraed at y tân, fel hyn, er mwyn iddyn' nhw sychu'n
iawn rhag ofn imi gael hen annwyd annifyr. Mi gaiff Madame fynd
ati i wneud cinio bach ysgafn imi rŵan, ac wedyn mi gaiff hi roi'r

teledu ymlaen imi gael gwylio fy hoff raglen, "Ffasiwn, Rŵan".
A! mae hi'n braf bod yn fi.

ROBIN
Gyda hyn mi fydd Babette yn canu ei chân. 'Wn i ddim a glywsoch
chi Eartha Kitt yn canu'r gân, "Under the Bridges of Paris"?
Naddo, mae'n debyg. Wel, mae Babette yn canu ei chân hi'n union
fel Eartha Kitt, efo rhyw gryndod swynol yn ei llais, ac y mae hi'n
canu ei chân ar yr un dôn â chân yr hen Eartha.

> **CÂN BABETTE**
> O! Rydw-i'n hoffi Fi,
> O! Rydw-i'n well na chi,
> Rydw i'n well na phawb yn y byd,
> O rydw-i'n hoffi Fi.
>
> O! Rydw-i'n hoffi Fi,
> O! Mae hi'n braf i Mi,
> Mae hi yn braf bod yn ddel ac yn glws,
> O rydw-i'n hoffi Fi.
>
> O! Rydw-i'n hoffi Fi,
> O! Rydw-i'n ddel, *mais oui,*
> O! Rydw-i'n *chic* ac yn *très très jolie,*
> O rydw-i'n hoffi FI.
>
> La la la la la laaah ...
> La la la la la laah ...

ROBIN
Welsoch chi'r fath beth yn eich bywyd! Mae'r Babette yna'n feistr
corn ar Mrs Evans-Evans. Mynd i mewn i siop i brynu sgarff i bwt
o gath! Y nefoedd fawr!
   A! Mae cloc y dre'n taro un-ar-ddeg. Un-ar-ddeg ydi'r amser y
bydd Beuno – neu Beano, fel y bydd y cathod eraill yn ei alw fo yn
ei gefn – yn mynd draw i gael golwg ar yr eglwys. Beuno,
wyddoch chi, ydi cath y ficer. 'Wir, dyma Beuno ar y gair. Cath

ddu, go solat, efo coler wen ydi mei-naps. Mae o'n symud mewn ffordd sanctaidd ac yn wadlan ei ffordd draw am yr eglwys. Mae o'n canu pwt o un o'i hoff emynau.

CATH 3

BEUNO

"Yn y dyfroedd mawr a'r tonnau,
Nid oes neb a ddeil fy mhen ..."

Ie, ie, ontefe, 'Does 'da ni ddim emyne fel'na i gael 'eddi, emyne'n sôn am ddyfroedd a thonne a stormydd a shwt bethe. Emyne i sofftis sydd i ga'l 'eddi. 'Sa dda 'da fi weld yr hen ffopen sili yna, Babette, wnaeth ddamsel ei phawen yn y pwllyn 'na gynne fach, yn canu'r emyn hyn:

"Yn y dyfroedd mawr a'r tonnau,
Nid oes neb a ddeil fy mhen ..."

Fe wnele canu shwt emyn gre' fyd o les iddi. Ond, 'na fe, 'smo hi byth yn twllu'r eclw's a, shwt wedi'ny, y gall hi, ferch, wybod emyne ontefe? 'Sda fi gynnig i'r fenyw 'na sy 'da hi chwaith, y fenyw 'na sy'n mynd 'da'r tennyn fel se 'da hi gi. 'Smo i'n gwpod i beth mae'r byd hyn yn dod, wir i chi. Amser bod cathe'n ymddwyn fel 'se'n nhw'n gŵn, mae pethe'n o wael 'sech chi'n gofyn i fi.

"Yn y dyfroedd mawr ... "

Wel, wel; dyma inni'r hen bechadur nobl ei hun, Ffred Cochyn, yn hala pysgod i'w fola. Rhaid imi gael gair bach 'dag e' – 'smo i wedi ei weld e' yn y cwrdd ers ache. A ryngtoch chi a fi 'dyw ei gyfraniade fe at yr achos ddim yr hyn ddylen' nhw fod. Bore da Ffredrig.

FFRED
Y ... y ... bore da, Bea- Beuno.

BEUNO
'Ma fore ffein ontefe?

FFRED
Braf iawn wir.

BEUNO
Sefwch chi, 'dŷch chi ddim wedi bod yn y cyrdde ers tro 'nawr ŷch chi?

FFRED
Y ... y ... naddo, naddo ... 'ddweda i wrthych chi ... y Musus heb fod yn dda ers tro byd, crydcymalau yn ei phawennau hi wyddoch chi.

BEUNO
Poenus.

FFRED
Poenus iawn, poenus iawn. Ac mi fydda' innau'n treio rhoi rhyw help bach iddi hi o gwmpas y tŷ w'chi.

BEUNO
'Na weithred dduwiol! Ond gwetwch i mi, 'smo'r Musus yn diodde 'da'i phawenne 'eddi 'te?

FFRED
Ddim yn diodde? O ... wel ... wel ... mae hi dipyn bach yn well heddiw, diolch byth ... ym ... oni bai am hynny 'fuaswn i ddim yn breuddwydio am ddod allan yntê. Fel mater o ffaith, yntê, rhyw

bicio allan i chwilio am damaid bach i ginio'r oeddwn i.

BEUNO
A dyna pam oedd 'da chi lond pen o 'adog nawr iefe?

FFRED
Tamaid bach i aros pryd, Beuno ... y ... 'chefais i ddim cegiad o frecwast y bore 'ma ac ... y ... roeddwn i bron â llwgu 'chi, ac mi benderfynais gael rhyw damaid bach fy hun – i gadw fy nerth felly, yntê – cyn mynd i gario gweddill y 'sgodyn yma adre' i Cassandra yntê.

BEUNO
'Na weithred dduwiol arall, Ffredrig, gweithred dduwiol. Mae'n dda 'da fi weld fod yr eclw's yn cael y fath ddylanwad 'yd yn o'd ar y rhai nad ŷn' nhw ddim – oherwydd gwahanol alwade duwiol ontefe – yn gallu dod i'r cyrdde'n aml.

FFRED
Amgylchiada 'chi. 'Fyddai dim yn rhoi mwy o foddhad imi na dŵad i'r eglwys. Wir, mi dreia' i 'ngorau ddod draw'r Sul nesa Beuno – dim ond gobeithio na fydd crydcymalau'r Musus ddim yn gwaethygu o hyn i'r Sul yntê.

BEUNO
Ie, ie, 'na fe; da iawn, Ffredrig, da iawn. A nawr mae'n debyg eich bod chi am gario'r darnau pysgod hyn adre' i'r Musus?

FFRED
Adre' i'r Musus! ... O ie, siŵr iawn, siŵr iawn ... y ... ar fy ffordd, Beuno; am adre', Beuno. Da boch.

BEUNO
Da boch, Ffredrig, da boch ... 'Na fachan y cythrel yw Ffredrig. Ond ma' 'da fi syniad: mi ga' i e' i acor dryse'r eclw's ar gyfer y gwasanaeth saith – y bore – am y mish nesa'. Fe ddysgith 'na wers bach i Ffredrig Cochyn.

"Yn y dyfroedd mawr a'r tonnau,
Nid oes neb a ddeil fy mhen ..."

A dyma fi trwy'r iet hyn. A! Dyma dir yr eclw's. Sefwch chi – beth yw hyn? Canie shandi yn y fynwent ... Mae'r lle hyn yn frwnt, a 'dyw cael yr hen gaffi salw hyn yn 'gored bob orie ddim help. Mae bechgyn penchwiban y lle'n towlu tunie i'r fynwent, a hen gwde tjips – 'sda fi gynnig i'r fath smoneth. Fe fydd yn rhaid i fi gwyno i'r Cyngor am y fath ddiffyg parch ontefe. Ac mae ishe torri'r borfa hefyd, mae'r gwelltglas cyn uched â 'nghlustie i: fydd tylw'th y meirwon yn methu dod o hyd i'w bedde nhw cyn bo hir.

A dyma ni, yr eclw's. 'Na 'yfryd yw bod yma'n yr eclw's. 'Se'n dda 'da fi 'tawn i'n fachan, yn ddyn ontefe, fel y Parchedig sy 'da fi sha thre 'cw. Wedi'ny fe allwn i sefyll yn y pwlpud hyn a'i morio hi. Ac fe fyse 'mhrecethe i'n rhai gwell na rhai'r Parchedig 'ed. 'Se hynny ddim yn waith caled chwaith, 'sech chi'n gofyn i fi.

Nawrte ... Wel, wel, pwy sy wedi anghofio newid rhife'r emyne? Rhife emyne'r Sul d'wetha yw'r rhei'na. Rhaid i fi wneud yn siŵr fod y pwdryn clochydd sy 'da ni'n gwneud ei waith. Ma' fe, cyn wired â phader, allan yn y cefn yna'n cael smôc – ych-a-fi, dyna ichi arferiad annymunol. Bydd yn rhaid i fi ga'l gair 'dag e'. Fe shiffta i'r mwlsyn.

Dew! 'Se'n dda 'da fi fod yn Barchedig, 'se 'na dipyn o siâp ar y lle hyn wedi'ny.

CÂN BEUNO
"Yn y dyfroedd mawr a'r tonnau,
Nid oes neb a ddeil fy mhen ..."

ROBIN
Mae'r hen Beuno wedi mynd i'r eglwys. Mae o'n mynd yno bob dydd. Fel cloc. Yn wir, mae o yno'n amlach na'r Parchedig Ifan Mathias, ficer y plwyf yma. 'Wn i ddim be' yn y byd mawr y mae Beuno'n ei gael i'w wneud yn yr eglwys ychwaith. Ond, dyna fo; pawb at y peth y bo.

'Rargian annwyl, 'glywch chi'r twrw yna? "Miwsig" metal trwm y maen' nhw'n ei alw fo, a dyma'r metal tryma' erioed 'taech chi'n gofyn i mi. Mae'r fath dwrw'n siŵr o amharu ar glustiau'r pethau ifainc yma – eu hanner nhw'n fyddar fel pyst cyn cyrraedd eu deugain oed o gael y fath nadau'n waldio yn eu clustiau byth a hefyd. Ond dyna fo, fel'na y mae hi. Gwrandwch mewn difri'! Lle bynnag y cewch chi dwrw fel'na hyd y lle yma, yna mi ellwch chi fod yn sicir o weld Roci yno. Roci ydi'n pync-gath leol ni.

Be' ddwedais i! Dyma Roci ar y gair. Mae cynffon Roci'n goch; ei gefn o'n las golau; ei ben o'n felyn, ond ei glustiau'n wyrdd; a'i ddannedd o'n ddu a gwyn bob yn ail – fel nodau piano. O ie, ac y mae o'n swingio tjiaen sydd yn sownd wrth ei drwyn a'i glust chwith. Ac y mae ganddo fo ddau seffti-pin, un yn ei glust dde, a'r llall yn ei gynffon.

CATH 4

ROCI
Yeah, yeah, yeah, yeah! Am dymp ydi fa'ma; dymp, dymp, dymp. BÔRING. Hwn ydi'r lle boringa'r ydw i'n gwybod amdano fo. Dim byd yn digwydd byth. 'Does yna ddim byd byth yn digwydd yn fan'ma – ar wahân i pan fydd' i'n gwneud hyn.

ROBIN
Nefi! Mae Roci wrthi hi eto'n curo ei ben yn erbyn wal Siop Gongol. Y creadur bach! Mae gen i ofn fod hyn yn mynd yn hen arferiad digon annymunol ganddo fo. A 'dydi'r bangio pen yma'n gwneud dim lles i wal Siop Gongol chwaith.

ROCI
Hy! Hy! Hy!
    Mae'n siŵr fod crîps y lle 'ma wedi deffro wrth weld hyn'na. Mae'r hen fôi Robin yna wedi sbriwsio drwyddo wrth weld y peth. Mi fyddan yn siarad am hyn am wsnosa rŵan, sert ichi. Fel 'dw-i'n dweud, does 'na ddim byd yn digwydd yn fan'ma; dymp go-iawn.
    Sbïwch le taclus sy 'ma! Ew! Mi faswn i'n leicio byw yn rhwyle fath â Manchester. Dyna ichi le ydi Manchester, yn enwedig y llefydd y bydda' i'n mynd iddyn nhw 'dê. Sôn am flêr! Papurau hyd y strydoedd cefn a chaniau cwrw hyd y lle, sgwennu-paent hyd y waliau. Grêt! A sŵn! Sôn am sŵn! Yn y lle 'ma o'n i'n aros

yn'o fo efo'n mêt Liam, 'oedd y grŵp 'ma'n practisio am bythefnos – twrw! Twrw trwy'r nos, twrw drwy'r dydd. Ew, grêt! A 'doedd y bobol-lludw ddim yn rhy barticlar yn y lle yma'r o'n i; anghofio codi buniau – anawsterau technegol meddan nhw! Oedd y lle `ma'n cael llonydd i edrych yn grêt trwy'r adeg 'tê.

'Does 'na'm lle grêt fel'na yn fan'ma. Bôring 'tê, fel y deud'is i, 'sa ddim gair arall am y lle. Ennill yn bingo ydi digwyddiad mawr yr wythnos yn y joint yma. Ac maen' nhw'n sôn rŵan am gau'r hôl bingo – 'wn i'm be' wneith nain, yr hen dlawd. 'Sa ddim diwylliant yn y lle 'ma, dyna ydi'r drwg. Fel dw-i'n dweud `dê, dymp bôring.

Y gig dwytha y bues i yn'i hi, wyddoch chi ble'r oedd hi? Yn Lerpwl. Ew, dyna ichi le grêt arall ydi Lerpwl – lot o fildings ar hanner dŵad i lawr yn y lle 'ma lle'r o'n i, siopa 'di cau, ffenestri 'di malu, a sgwennu-paent ar y waliau ymhob man. Digonedd o le i sgwennu paent! Roedd rhywun yn gweld fod yna dipyn o fynd, dipyn o gyltjiyr yn y lle. 'Welais i ddim lle gwell na Lerpwl 'dê – ar wahân i Manchester. 'Oedd Manchester yn lle grêt hefyd, fel dw-i'n dweud 'dê. Digon tebyg, a dweud y gwir – Lerpwl a Manchester. Ddim 'run fath â fan'ma. Mae fan'ma'n 'dê yn BÔRING. Hwn 'swn i'n dweud ydi'r lle mwya bôring yn y byd.

Lle bôring arall ydi pentra nesa'. Er mae 'na un bync-gath yn fan'no. Sdensh ydi ei henw hi. Hi ydi'n slashan i 'dê. Grêt: gallu dawnsio trwy nos – neidio o gwmpas am oriau. 'Does 'na'm llawer o gathod fedr wneud hyn'na. 'Wir 'tê, 'swn i'n dweud nad oes 'na neb yn fan'ma allai wneud hyn'na 'dê. Drwg ydi fod cathod y lle 'ma'n sgwâr fath â bocsys carbod. Wir, 'swn i'n fodlon dweud eu bod nhw'n oblong. Gwneud pethau bôring rownd y rîl. Mae'r lle yma mor ofnadwy o déd 'dê nes 'mod i wedi gwneud cân amdano fo ar gyfer 'y ngrŵp i, y Winjars. Enw da 'dê – 'neith o i ganu'n Gymraeg a Saesneg.

CÂN ROCI
Bôring, bôring,
Mae'r lle 'ma i gyd yn bôring.
'Dydi o ddim fath â Manchseter;
Mae fan'ma i gyd yn bôring.

CYTGAN
Bôring, bôring
Mae'r lle 'ma i gyd yn bôring,
Mae o'n bôring,
Bôring, bôring,
Mae'r lle 'ma i gyd yn bôring,
Bôring bôring,
Mae fan'ma i gyd yn bôring.

ROBIN
'Chlywais i erioed y fath nadau. Gobeithio y callith y truan yna
rywbryd cyn diwedd ei oes. 'Fuasech chi byth bythoedd yn credu
ei fod o'n gefnder cyfa' i Buddug Angharad. Buddug Angharad
ydi'n Prif Adroddwraig – Prif Lefarwraig ddylwn i ddweud efallai;
hi ydi Prif Lefarwraig y Gatws yma. Wedi ennill yn Steddfod yr
Urdd – y Genedlaethol ichi gael dallt – DAIR gwaith ar adrodd dan
bump oed. Ac y mae hi'r beth bach ddelia' a welsoch chi erioed.
Bechan, ddu, pawennau gwynion, a bib wen. Bob amser yn glên.
Dim byd tebyg i'r swnyn digywilydd o gefnder yna sydd ganddi.
Mi fydd Buddug Angharad yn mynd i gael gwersi adrodd gan Lili
Alwena – Lili o'r Gatws, a rhoi iddi hi ei henw yng Ngorsedd y
Beirdd. Er, sut yr aeth hi'n aelod o Orsedd y Beirdd, a hithau heb
erioed gyfansoddi cwpled i'w roi ar gefn bocs matjis, sy'n
ddirgelwch mawr i mi. Ond, wedyn, y mae yna gath yn y topiau
yna, Eos Melangell – dyna ichi enw! – hefyd yn aelod o Orsedd y
Beirdd. Cerdd-dantwraig ydi hon'no: mae hi'n ymarfer bob nos
wrth dŷ fy mrawd: mae o bron â mynd o'i gof, y creadur.
   Ond O! Dyma hi Buddug Angharad.

CATH 5

BUDDUG ANGHARAD

Yng nghesail y moelydd, hei ho, heidi ho, y clywais i gwcw wrth
fyned am dro ar ddiwrnod o haf, un hynod o braf, a'r haul yn
tywynnu yn uchel i fyny mewn awyr las, las – tywydd iawn i mi
fod ma's.

O mor hyfryd, yr haf, yw mynd am dro ar hyd y fro hyfrytaf
hon. Rhowch imi ryw gornel yn y bryniau lle mae'r durtur yn y
coed, a lle daw'r adar bach i ganu'n bêr, fel piano yno. A phan
ddont hwy i lawr o'r cangau, yr adeg honno byddaf finnau yn
barod iawn i'w dal, a'u bwyta hwy.

O fel rwy'n hoffi'r blodau a'r coed, a'r chwiaid bach del sy'n
mynd yn ddi-oed – os na allaf fi eu dal – at y llyn a welaf draw,
wrth imi droedio trwy y baw. A! Hyfryd, hefyd, wedi hyn yw
gweld y chwiaid ar y llyn yn nofio'n braf ar ddydd o haf. A phan y
gorymdeithiant hwy yn ôl, unwaith eto dros y ddôl, wedi blino ar
y llyn, bydd cyfle arall, welwch chi, i mi gael pryd bach blasus.

Ar nos o haf mae hi, hefyd, yn braf i mi fynd i wylio cwningod
bach yn prancio. Hop, hop, mor ddel ar hyd y cae y maen' nhw i
gyd yn symud. Ac os bydda' i'n lwcus fe ddaw yna un yn agos,
hwyrach, ataf fi. A dyna hyfryd fydd ei dal, a'i sglaffio hi i swper.

Nid ydyw yr haf yr un fath â'r gaeaf; yn wir, y mae'n wahanol.
Yn y gaeaf nid yw'n braf, ar bob llaw fe fydd y glaw yn gwlychu
pawb yn tjiwps. Ac os na fyddwch yn ofalus yna, wps, fe allwch

syrthio ac wedyn gwlychu eich blew bach del, melfedaidd, fel y digwyddodd i Nel, fy annwyl ffrind, wrth iddi hi fynd, un tro, am dro.

A chefais innau annwyd trwm ar ôl bod yn y caeau llwm yn chwilio am lygod – hen bethau bach hyll – ond sydd, fel pysgod, yn flasus eithriadol i'w bwyta.

Ond yn y gaeaf fe ddaw'r Dolig, ac yn fuan wedyn adeg Calennig. Mae bod yn y tŷ yn gynnes braf a chyfforddus ar yr adegau hyn yn fy ngwneud i yn eithriadol o hapus. Ac un o'r pethau dymunol i mi yw eistedd wrth wydyr drws y popty, yn syllu yno ar dwrci tew yn rhostio'n hyfryd yn y gwres, a'r amser i'w dynnu oddi yno yn dod, yn wir, yn nes a nes. Dymunol, O! dymunol fydd hi i mi gael iau'r aderyn blasus hwn neu ddarn o'i frest neu'i aden. Ac wedyn cael, ar fy soser fach, hufen tew a blasus wyn. Ni fyddaf fi'n hapusach na hyn ar unrhyw adeg arall o'r flwyddyn nag yn y tymor llon hwn o gelyn a hufen a thwrci.

Ar wahan i ambell ddiwrnod braf a hithau'n haf, a'r byd yn gynnes, pan ddaw y Dyn Acw'n ôl o'i 'sgota a rhoi imi frithyll ffres, yn dal yn loyw ac yn groyw o'r dŵr. Mae crensian fy nannedd drwy ei gig, fydd yn waedlyd, a'i esgyrn bach yn un o'r synau mwyaf hyfryd ddaw i'm clustiau.

Ar wahan, efallai, pan fydda' i yn clywed curo pawennau ar ôl i mi, unwaith eto, ennill mewn rhyw 'steddfod. Mae hynny, o bosib, yn well nag unrhyw dwrci ac nac unrhyw bysgod.

ADRODDIAD BUDDUG ANGHARAD
Ni welsoch chwi gath
Erioed yr un fath
Ag Elsi y gath o Langrannog.
Mae'i blew hi'n sidanaidd,
A'i llais hi'n dra pheraidd
Wrth ganu ei grwndi `da'r delyn.
Mae'i llygaid hi'n sgleinio
Wrth iddi ganŵio,
A'i dawn wrth ferlota
Yw un o'r hynota',
A dyna ichwi pam

Fod Elsi yn swyddog
I fudiad yr Urdd yn Llangrannog.

Ni welsoch chwi gath
Erioed yr un fath
Ag Elsi y gath o Langrannog.
Mae'i gallu i lygota
A'i sgil wrth bysgota
Â'i miniog grafangau'n wefreiddiol.
Mae'i gallu wrth fowlio
Yn anodd i'w goelio –
Mae'i thrawiad hi'n sydyn,
A syndod o gyflym,
A dyna ichwi pam
Fod Elsi yn swyddog
I fudiad yr Urdd yn Llangrannog.

ROBIN

Chwarae teg i Buddug Angharad, a phob lwc iddi. Gobeithio y
gwelwn ni hi ar Es Pedwar Rec cyn bo hir; mae yna salach pethau
yn fan'no'n reit siŵr. Dyna ichi Gerard "yr Actor" – mae hwnnw'n
sicir yn un o'r pethau salach. Ma o'n rêl pen-bach hyd y lle 'ma ar
ôl cael rhan yn y rhaglen sebon honno "Pobol y Cŵn". A wyddoch
chi be' oedd ei ran o? Wel, rhedeg i ffwrdd bob tro y daw rhyw
Alseshian gwirion i lawr stryd y pentref – dyna ichi ran dwy a
dimai, os leciwch chi. Cath wen ydi Gerard, efo rhywbeth tebycaf i
dei-bô du am ei wddw. Mae o'n wastad yn cerdded â'i ben yn yr
awyr, gan edrych i lawr ei drwyn braidd ar bawb a phopeth, a chan
ddal ei gynffon yn syth i fyny yn yr awyr o'i ôl. Mae o'n dangos ei
hun bob cyfle, bobol bach, ac wedi dechrau siarad Sowth gan ei fod
o'n mynd i Gaerdydd yn weddol amal. Y sôn ydi ei fod o'n
gobeithio cael rhan Cath y Dyn Drwg yn y ffilm James Bond nesaf
– gobaith mul 'ddywedwn i.

CATH 6

GERARD
Wel pwy sy acw? O na, nid y Roci wirion yna. Roedd e'n yr un dosbarth â mi ers talwm – da i ddim, codi twrw byth a hefyd. A mynnu dod â rhyw hen gitâr tjiêp 'dag e'. Os gwn i a yw e' wedi 'ngweld i? O, embaras, mae e'n dod y ffordd hyn!

ROCI
Smâi Gerard. Clywed dy fod di'n ffansïo dy hun fel dipyn o actor rŵan.

GERARD
Actor o safon, os ca'-i 'weud. Wedi ymddangos sawl tro ar "Bobol y Cŵn".

ROCI
Be' mae cath fel chdi'n ei wneud ar raglen efo enw fel'na?

GERARD
Un o'r rhaglenni mwyaf poblogaidd sy'n bod.

ROCI
Poblogaidd! Poblogaidd ffor'ma efallai, ond 'sat ti'n gofyn i bobol Manchester ydyn' nhw wedi ei gweld hi, 'san nhw'n sbïo'n hurt arnat ti.

GERARD

Sbïo'n hurt am mai hurt ydyn' nhw ontefe.

ROCI

Watjia'i mêt; dydi pobol Manchester ddim yn bethau i chwarae efo nhw.

GERARD

Fuaswn i ddim mo'yn whare 'da nhw, diolch yn fawr.

ROCI

"Mo'yn, mo'yn"! Pa fath o Gymraeg ydi hyn'na? Peth nesa' fyddi di'n ddweud fydd "dishgled o de". Dishgled o de!

GERARD

Mygied mawr blêr, a hwnnw'n gracie drwyddo fe, maen' nhw'n ei gael yn Manchester, 'debyg. Dyna sy 'da nhw yn yr hen raglen ddiflas yna, "Cath-ar-rasion Street". Sut bynnag dim ond twpsied y byd sy'n cwyno am iaith y De neu iaith y Gogledd.

ROCI

"Cathar-ar-rasion Street", diflas! Diflas! Hon'na, iti gael dallt, ydi rhaglen fwya' poblogaidd Prydain a Chymru, heb sôn am Manchester. Ac fel o'n i'n dweud, be' mae unrhyw gath gwerth yr enw'n da mewn rhaglen am gŵn, 'wn i ddim.

GERARD

Na wyddost, mi wn. 'Dyw 'na ddim yn syndod i fi. Be' wyddost ti am actio, ac am y celfyddyde? Dim. Mae eisie dipyn o sensitifrwydd i werthfawrogi shwt bethe. Rwy'n gorffod dodi'n 'unan yn sefyllfa'r gath yna rwy'n whare ei rhan. Rwy'n treulio orie'n seico lán at y part bob tro rwy' i ar y rhaglen. A, wel'di, mae 'da fi filoedd o ddilynwyr sy'n gwerthfawrogi fy nghelfyddyd i.

ROCI

Celfyddyd! Hyn'na! Os wyt ti eisio gwybod be' ydi celfyddyd mae eisio iti fynd i un o gigs y grŵp Catastroffig. Dyna iti be' ydi celfyddyd. Mi oedd Old Trafford yn llawn jóc o gathod yn eu sét nhw'r wythnos diwetha', o bedwar yn bora tan saith yn bora. Mi falodd y canwr Cats Wailer dair gitâr ac mi lyncodd y meic – dyna iti be' ydi celfyddyd!

GERARD
Hwligan 'wedwn i. Be' sy 'da strywan gitâre a llyncu meicroffone i'w wneud 'da'r celfyddyde? 'Set ti'n gofyn i fi, 'dwyt ti ddim yn gwybod y gwahanieth rhwng y celfyddyde a photel sôs.

ROCI
Rwyt ti mor sgwâr nes dy fod di'n octagon.

GERARD
'Glywest ti am Bond, James Bond?

ROCI
Do siŵr, mae pawb wedi clywed am hwnnw.

GERARD
Mae ei ffilmie fe'n gelfyddyd, celfyddyd boblogaidd 'sai'n gweud, ond rhyw fath o gelfyddyd, serch hynny.

ROCI
OK. Be' am hynny?

GERARD
Wel, rwy' i – wyt ti'n gwrando? – (wir, mae rhai cathe'n boncyrs!) – rwy' i'n un o dair cath sy'n mynd i gael prawf ar gyfer rhan yn ei ffilm nesa' fe.

ROCI
Pa ran, pa ran?

GERARD
Cath y Dyn Drwg.

ROCI
A be' ydi'r rhan yma?

GERARD
Ma' 'da fe gath soffistigedig na fuo' shwt beth. Ac mae'r gath hyn ar ei lin e', a ma' fe'n ei mwytho a'i maldodi hi, a bob hyn-a-hyn ma' fe'n estyn ei law i'r bowlen bysgod sy 'da fe ac yn codi 'sgodyn bach ohoni hi ontefe, ac yn ei roi e' i mi ...

ROCI
Chdi! Y gath fydd yn chwarae'r rhan rwyt ti'n 'feddwl!

GERARD
Ac wedyn fe fydda' i'n crensian y pysgodyn 'da'm dannedd miniog. Dyna iti shwt bethe y mae cathe soffistigedig yn eu gwneud.

ROCI
'Chei di byth y part.

GERARD
A pham 'te?

ROCI
Am nad wyt ti'n American. Americans ydi cathod pictjiwrs a ffilmia i gyd, bob un.

GERARD
Tan nawr. Mae'r cŵl Cymro hyn ar ei ffordd, ac fe'u cicie i nhw ma's i gyd oddi ar y sgrîn.

> **CÂN GERARD**
> Gerard y Cymro, y Cymro o fri,
> Gerard y Cymro wyf fi, wyf fi.
> Rwy'n actor tan gamp –
> Os am frenin neu dramp,
> Y fi ydi'r gath,
> Y gath heb ei bath hi i chi.

Gerard y Cymro, y Cymro o fri,
Gerard y Cymro wyf fi, wyf fi.
Rwy'n wych ar y sgrîn –
Fel un llawen neu flin
Y fi ydi'r gath,
Y gath heb ei bath hi i chi.

Gerard y Cymro, y Cymro o fri,
Gerard y Cymro wyf fi, wyf fi.
Fe goncra' i'r byd
Yn gyflawn i gyd.
Y fi ydi'r gath,
Y gath heb ei bath hi i chi.

Wyt ti'n mo'yn fy llofnod i, Roci? Ymhen ychydig fe fydd yn rhaid iti sefyll mewn ciw i'w gael e'.

ROCI
Llofnod! Llofnod! Wyt ti "mo'yn" fy nyrnod i?

GERARD
Wêw!

ROBIN
Wel, wel! Os gwn i be' ddigwyddodd? Mae Gerard yn mynd fel cath i gythraul, fel y byddwn ni'n dweud, a Roci wrth ei gwt o. Efallai fod yna ryw gamddealltwraieth fach wedi bod rhyngddyn' nhw.

O na! Mae Roci wedi rhedeg yn batj i Yr Ap, ac wedi bownsio gryn dair medr yn ei ôl yn wysg ei gefn. A 'does dim rhyfedd; mae'r Ap yn ddwywaith ei faint o. Yn wir, mae'r Ap ddwywaith maint unrhyw un! Yr Ap ydi'r gath fwyaf un, a thewaf un yn y lle 'ma. Mae'n fawr, ac yn dew, ac yn ddu bitj. Mae'n ANFERTH. O! mae Roci wedi codi ac wedi ei sgrialu hi, gan adael Yr Ap yn edrych braidd yn flin. Yr Ap meddaf fi – wel, dyna y mae pawb yn y lle 'ma'n ei alw fo, ond Llywelyn ap Cynwrig ap Cadfael ydi ei enw fo'n llawn. Mae ei deulu o'n mynd yn ôl i'r Oesoedd Tywyll; dyna ichi un rheswm pam y mae ei liw o mor ddu.

CATH 7

YR AP
'Wn i ddim i be' mae'r byd 'ma'n dod, ar fy ngwir. Dyma fi allan am dro bach a rhyw racsyn tecnicylyr o gath yn bwrw imi. 'Does gan yr ieuenctid yma ddim parch at neb na dim. Mi eistedda i ar y rafin yna os ca' i afael arno fo; mi ddysgith hynny dipyn o fanars i'r pwdryn.

Cofio'n iawn fel y byddwn i yn ei oed o: hardd, côt yn sgleinio fel sofren (ond 'ŵyr rapsgaliwns heddiw ddim be' ydi sofren; dwl fel slejis); llawn cwrteisi a moes – agor drysau i gathonigesau, eu hebrwng nhw o ddawnsfeydd yng ngolau'r lloer; mynd i ganu o dan y toeau lle bydden' nhw'n eistedd – A! dyna be' oedd rhamant! Bariton hyfryd oeddwn i: mi fyddwn i'n sefyll yno, a'r lleuad yn sgleinio a'r sêr fel deiamwntau ym melfed glas y nos. Mi'r oedden' nhw i gyd yn gwirioni wrth fy nghlywed i. Caneuon trist am gariadon oedd fy nghaneuon i, yn llawn o'r teimladau mwyaf dymunol – cathesau'n marw wedi torri eu calonnau ar ôl cathogion dewr, ac yn marw'n neis. Caneuon, wedyn, am gathogion yn wynebu'r peryglon mwyaf anhygoel i achub cathogesau oedd yn wynebu angau, neu waeth. Dyna Syr Gareth, un o fy hen deidiau i, yn wynebu Alseshian cynddeiriog er mwyn ei gariad Matilda, ac yn ei hachub hi oddi ar blât pwdin y ci hyll hwnnw.

A dyna'r gân honno y gwnes i ei chyfansoddi hi fy hun am Berti Bartholomew o'r Plas Mawr yn nofio ar draws y Fenai dlos – ie, dim gair o gelwydd, cath yn mentro i ddyfroedd oer yr afon – i achub Cathi Blodwen, ei anwylyd, o grafangau hen Gigfran sglyfaethus o Fôn.

A beth am y gân dorcalonnus honno am Gwilym Goch yn colli ei gariad Agnes ar ôl iddi hi ddal annwyd trwm ar ôl cael ei dal yn un o gawodydd tryma'r ddeunawfed ganrif!

A! Fel y byddai'r hen gathesau'n wylo dagrau'n lli wrth imi ganu fy nghaneuon. 'Does yna ddim canu fel'na rŵan. Dyna ichi'r Roci wirion yna'n ffansïo'i hun fel canwr. Canwr! – yn nadu caneuon rafins ac yn gwneud y stumiau gwiriona' 'welsoch chi, a hen hulpod o gathesau coman efo gwalltiau Mohican yn hurtio neidio fel pethau o'u cof. 'Does dim rhyfedd fod y byd 'ma'n mynd â'i ben iddo, efo rhai o'n cathod ifainc ni'n myllio ac yn anghofio'r hen ganeuon, ac yn ymddwyn fel ... fel ... cŵn ddim yn gall o gwmpas y lle yma. I be', rydw i'n gofyn, i be' mae'r byd yma'n dŵad?

A! Dacw Meistres-Tŷ-Ni yn ei Jagiwar yn mynd am adre', ar ôl trip bach i Sainsbury's. Gobcithio'i bod hi wedi prynu tipyn o'r tiwna yna i mi. Yr ydw i, yr wythnosau diwethaf yma wedi magu blas arbennig at diwna. Ond wna' i ddim troi fy nhrwyn ar unrhyw un o'r tuniau Gourmet yna chwaith. Mae cig eidion, a chig cwningen yn flasus iawn. Mae'r bobol-bwyd yma wedi dechrau rhoi llysiau efo'n cig ni – dyna ichi gyw iâr a llysiau, er enghraifft. Camgymeriad ydi hynny, yn fy marn i; 'dydym ni, fel cathod, ddim yn llysieuwyr – mi fwyta' i dipyn o wair os na fydda' i'n teimlo'n ecstra, 'dydw i ddim yn dweud, ond ar wahan i hynny 'dda gen i mo'r llysiau yma. Un o'r syniadau modern yma ydi hwn gan ryw bobol-bwyd dwy-a-dimai sy'n meddwl eu bod nhw'n gwybod yn well na ni, gathod.

Anamal y bydda' i'n cael ffesant y dyddiau yma. Rŵan, dyna ichi be' ydi gwledd. Wrth gwrs, 'fuasai'r rafins diweddar yma ddim yn gwybod be' i'w wneud efo ffesant. Mi fuasen' nhw'n stwffio eu hen snowtiau gwerinol yn syth iddo fo ar ôl ei gael o – hynny ydi, petaen' nhw yn ei gael o. Twpsiaid! Rydw i'n cofio'n dda fel y byddai'r hen fwtler oedd gennym ni'n hongian ffesantod yn y bwtri nes y bydden' nhw wedi dechrau troi, ac yn ogleuo'n hyfryd – digon cryf i daro rhywun ar ei gefn, os nad oedd o'n rhywun go gadarn. A! Y croen brown tywyll yna: hyfryd, hyfryd yn wir!

Dyna ichi betris wedyn, a grugieir: bwyd i fyddigions go-iawn. 'Does fawr ryfedd fod rhyw werin datws o'r trefydd yn cwyno'n erbyn hela popeth; maen nhw'n meddwl mai rhywbeth mewn tun neu seloffen ydi cig. 'Does gen i ddim byd yn erbyn cigoedd o duniau neu gigoedd mewn seloffen, rydych chi'n deall – yn wir, 'does gen i ddim byd yn erbyn unrhyw fath o gig, ond y mae yna wahaniaeth rhwng cig o'r gwyllt, fel petai, a chig o duniau. Ychydig iawn sydd yna'r dyddiau hyn sydd wedi gweld carw newydd gael ei ladd ac yn cael ei agor nes bod ei berfeddion o'n stemio. Mi fyddai'n talu i mi fod o gwmpas ar adegau felly yn yr hen ddyddiau achos mi fyddai'r cigydd yn debyg o daflu darn o rywbeth bach gwaedlyd, cynnes imi. A! Yr hen ddyddiau! Mi alla' i glywed blas coch darnau felly y funud yma.

Cofiwch, y mae yna ambell barti yn y tŷ acw o hyd. Nid pawb sydd wedi cael cafiâr, ac am nad ydi pobol gyffredin wedi arfer efo bwyd drud fel hyn, dydi'r ciari-dyms yn hidio dim amdano fo. Mi fydd Dyn y Tŷ Acw'n archebu ein cafiâr ni o Fortnum a Mason, siop grand iawn yn Llundain, ac mi fydd wedi dŵad o fan'no yr holl ffordd o Rwsia – Rwsia ydi Y Lle am gafiâr. Maen' nhw'n ei gael o o foliau logiau o bysgod mawr, tew yn fan'no. Dyna ichi stwff ydi'r cafiâr gorau! Mae o'n costio ffortiwn, ond dyna fo, beth yw cost lle bo mwynhad? Os ydych chi am gael rhywbeth gwirioneddol arbennig, rhaid ichi dalu'r pris amdano fo, dyna fydda' i'n ei ddweud.

Ar ôl cafiâr, 'does yna ddim byd gwell gen i na chael tipyn o hufen – hufen-dwbwl, wrth gwrs. Ar adegau arferol mi wneith hufen sengl yn iawn, neu hyd yn oed hufen o geg y botel lefrith. Ar haf go boeth mi yfa' i dipyn o ddŵr hyd yn oed – stwff da iawn at dorri syched. 'Fydda' i byth yn gwrthod ambell i soseraid go dda o Guinness chwaith, yn enwedig gan fy mod i'n meddwl ei fod o'n gwneud byd o les i 'nghôt i, yn rhoi rhyw sglein arbennig iddi hi. Arhoswch funud, be' ydi hwn sy'n dŵad hyd y palmant yma? Pecinîs. 'Welsoch chi'r fath beth yn eich byw, rhyw llygoden o beth efo trwyn smwt, fel petai o wedi cerdded yn batj i wal pan oedd o ar ei brifiant. Dyma fo. Mi ro'-i hergwd i'r sgifflyn oddi ar fy

mhalmant i. Cym' hon'na! ... Crïo fel babi! Mae eisio dysgu gwers
bob hyn-a-hyn i'r bodau israddol yma.

Rŵan 'te, mae hi'n tynnu at amser te. Mi ymlwybra' i am adre'.
Siawns na fydd y forwyn acw wedi dadbacio fy mwyd Sainsbury's
i. Mae hi wedi cael digon o amser i wneud hynny, ac mi ddyweda'
i hyn – na 'fydda' i ddim yn rhy blês os na fydd fy mwyd i ar fy
mhlatiau i pan gyrhaedda' i adre'.

CÂN YR AP
Ar lan hen afon Fenai ddofn
Gorweddai Cathi Blodwen
Dan grafanc greulon Cigfran dew
A ddaethai'n syth o'r domen.
A fydd hi farw yn y fan
Mor wan ac eiddil yno,
A fydd hi'n fwyd i dderyn du
A hyll sydd yn ei phigo?

Fe gofiai hi – y gathes fach –
Amdani'i hun yn ifanc
Ar aelwyd lân ei mam a'i thad
Lle nad oedd pig na chrafanc.
Chwaraeai'n llon o flaen y ddôr
Ymysg y blodau prydferth,
A'r adar bach yn seinio'u cân
Ar goeden werdd, bur anferth.

A gwelai hi ei bywyd byr
Yn llifo heibio'i llygaid
Fel un ar ddiwedd teithio byd
Yn mynd i fyd y pryfaid;
Ochneidiai hi ac wylo'n drist
O dan y grafanc yno,
Fel un i'w bywyd yn y byd
Bron iawn, bron iawn ffarwelio.

Ond pwy yw hwn, mor ddewr ei fron,
Sy'n neidio i'r dyfroedd dyfnion,
A nofio'n fentrus tua Môn
Heb arno ofn peryglon?
Efô yw Berti o'r Plas Mawr,
Uchelwr ymysg cathod,
Ac nid oes arno, credwch fi,
Ofn unrhyw lwfr ddihirod.

O, gwelwch ef yn ymladd 'nawr
Â'r Gigfran gas a chreulon!
Wrth weld ei harwr yno'n hy
Mae Cathi'n codi'i chalon.
A dacw'r Gigfran hyll yn mynd,
Yn denig dros y caeau;
Bydd Berti yn cusanu'n awr
Ei Gathi am nosweithiau.

ROBIN

A dacw'r hen Ap yn siglo mynd am Y Plas. Mae o'n croesi'r ffordd a gwneud i'r traffig i gyd stopio'n stond a swnllyd i adael iddo fo droedio'n urddasol yn ei flaen.

Ond pwy yw hon a wela'-i'n dod? Neb llai na Zoë Michelle. Mae Zoë Michelle yn ddel ac o liw pinc-wyn, ac yn gwisgo esgidiau bach pinc efo sodlau uchel i gyd-fynd efo bwa bach pinc sydd ganddi am ei gwddw.

Ond 'dydi Zoë Michelle ddim ar ei phen ei hun: 'dydi Zoë Michelle byth ar ei phen ei hun. Mae yna'n wastad ddau neu dri cwrcyn – o leiaf! – wrth ei chwt hi, i gyd yn edrych fel lloeau ac yn ymddwyn fel pe baen' nhw'n bananas. A dweud y gwir! Sbïwch ar yr hen Gwrcyn Brych yna o du ucha'r pentre, wedi gorwedd mewn pwll o ddŵr o flaen Zoë er mwyn iddi hi gerdded drosto fo heb wlychu ei 'sgidiau. Mae Zoë'n rhoi hanner gwên fach iddo fo wrth fynd drosto, ac y mae yntau'n gwenu fel lleuad lawn – peth sy'n gwneud iddo edrych yn fwy twp nag arfer. Mae Zoë wedi bod yn boblogaidd iawn hyd y lle yma ers tro byd, ac amryw o'r cwrcod yn dawnsio tendans arni; ond y mae pethau wedi mynd yn ganwaith gwaeth ar ôl i ryw dynnwr-lluniau o *Vogue* dynnu ei llun hi a'i roi ar dudalen flaen y racsyn hwnnw. DYMA BE' YDI MODEL O GATH oedd y geiriau o dan y llun. A byth ers hynny mae Zoë Michelle wedi bod yn meddwl ei bod hi'n fodel – y sgidiau pinc a'r bwa pinc yma heddiw; darn o ddefnydd coch fel sgert gwta iawn am ei chanol yr wythnos diwethaf; a rhywbeth arall yfory, mae'n fwy na thebyg. Ac y mae'r cwrcod, fel y dywedais i, yn wirion bot.

Wel, ar f'enaid i, sbïwch ar yr hen jolpyn llwyd yna wedi mynd i ganol y ffordd i stopio'r traffig i Zoë Michelle gael croesi'r ffordd! Mi ddylai unrhwy gwrcyn o'i oed o fod adre'n dawel yn lle galifantio hyd y lle yma fel gafr ar daranau.

A sbïwch rŵan 'te, mae'r Main o Ynys Manaw, fel y maen' nhw'n ei alw fo – cwrcyn tenau heb ddim ond pwt bach, bach o gynffon – wedi dŵad o rywle ac wedi gosod sardîn o flaen Zoë Michelle. Mae hi'n ei s'nwyro fo ac yna'n troi ei thrwyn a mynd heibio a – 'goeliwch chi? – y mae'r Cwrcyn Brych wedi cipio'r sardîn ac yn sgrialu i fyny'r stryd gan adael y Main o Ynys Manaw'n edrych mor golledig â'i gynffon. Dim arwydd o flewyn o ffafr gan Zoë Michelle, a cholli ei sardîn yn y fargen! 'Dydi o ddim yn edrych yn gwrcyn hapus iawn.

CATH 8

ZOË MICHELLE
O, mi fuaswn i'n leicio cael nicyrs pinc, pinc golau efo gloynnod byw glas golau yma ac acw arno fo. Mi allwn i ei ddangos o'n neis iawn a gyrru'r hen hogiau yma'n wirion. Er – 'wn i ddim a allwn i eu gyrru nhw'n fwy gwirion nag ydyn' nhw'n barod. Mae eisio rhywun gwirion iawn i gynnig sardîn i mi! Be' mae'r Main yn ei feddwl ydw i – fiw imi fwyta pob anialwch neu mae'n beryg imi fynd i edrych yn debyg i'r gang dew yna sy hyd y lle yma. Bwyta popeth, ymarfer dim – dyna'r ffordd i fynd i edrych fel y rhain. Gwybod dim byd am fwyd iach a deiet. Deiet! 'Dydi'r tinau eliffantod sy o gwmpas fan'ma ddim yn gwybod be' ydi ystyr y gair.

'Dydi hi ddim mor gynnes ag yr hoffwn i iddi fod, ond pe bai hi'n dod yn gynhesach mi fydd yn rhaid imi feddwl am ficîni, un glas efo lluniau dail bambŵ mewn gwyrdd golau drosto fo; mi fyddai rhywbeth felly'n neis. Ac efallai y byddai rhosyn coch ar fy mhen, a bwa coch am fy nghynffon yn creu gwrthdaro lliw effeithiol. Wrth gwrs, mae defnydd gweld-drwyddo yn ddeniadol iawn, ffrog heb strapiau mewn gwyrdd – mi fyddai hynny'n neis iawn.

O! Dacw'r hen beth hen-ffasiwn yna, Beano, wrth yr eglwys. Mi gerdda i heibio iddo fo i weld be' ddigwyddith ... Dim byd! Ydi o'n ddall, 'te ddim yn gweld? Cymryd dim sylw ohono'i! Ond, dyna fo, mae hwn'na'n rhy hen ffasiwn i werthfawrogi dim byd ond neiniau cant oed. 'Does yna ddim blewyn modern yn perthyn iddo fo. Petawn i'n dweud Karaoke wrth hwn'na, mi fyddai o'n meddwl mai math o bwdin ydi o. 'Does dim mwy o wmff yn hwn'na na phwced wag. Yn wir, mae yna fwy o wmff mewn peth felly.

Mor neis fyddai bod, rŵan, ar y Riviera. Mae yna dipyn o steil yn fan'no – Meistres yn mynd yno, yn enwedig i Cannes, bob tro y bydd yna gynnig tjîp munud olaf am drip yno. Mae yna safon well o gwrcod yn fan'no nag yn unllla arall; ond Hollywood yntê. Beth am gwrcyn o Ffrancwr efo llais sherri-brown a Saesneg efo acen sy'n gwneud iddo fo ERRIO'n rhamantus. Er, rydw i wedi clywed Meistres yn dweud fod yna lawer yn Ffrainc yn drewi o oglau garlleg. 'Allwn i ddim dioddef dim byd felly – digon i droi stumog unrhyw un.

Yn Cannes mi fyddai'n rhaid imi gael sbectol haul. Mae sbectol haul yn rhoi dipyn o fystîc i rywun. Mi fyddwn i'n cael sbectol efo gwydrau pinc efo ffrâm fawr fel adenydd yn 'mestyn allan bob ochor. 'Fyddai yna'r un seren o fyd ffilm na theledu'n gallu cystadlu efo fi. Mi fyddai hynny'n neis iawn, iawn.

Mi allwn i fod yn seren ffilmiau'n hawdd iawn – lot o gwrcod wedi cynnig prawf sgrîn imi. Ond, a dweud y gwir, 'fyddai gen i ddim amynedd i sefyllian o gwmpas am allan o hydion fel y mae'n rhaid i sêr ffilmiau wneud – hyd yn oed yn fy ngharafán i fy hun! Mi fyddai hynny'n annymunol iawn i mi. Yr hyn yr ydw i'n ei ystyried ydi mynd ar y gathwa i ddangos dilladau. Cathod tenau a chlws fel fi y maen' nhw eu heisio. Dim ond cerdded i fyny ac i lawr yn gwisgo gwahanol ddilladau a gwenu'n ddel ar y camera, neu edrych i lawr eich trwyn ar bawb, dyna'r cwbwl sydd ei eisio. A chael pres mawr am wneud hynny. Wedi cael cynnig hynny hefyd, ond y cynnig iawn heb ddŵad eto: mi arhosa' i.

O! O! Pwy sy 'na yn fan'cw? O na! Defi Dyrnwr. Cwffiwr gorau'r lle 'ma, dw'-i ddim yn dweud, ond mor ARW. Mor soffistigedig â rhaw dail, ond ... ond ... mae yna rywbeth – 'wn i ddim yn iawn sut i'w ddisgrifio fo – rhywbeth hynci iawn ynddo fo.

ROBIN

A dyma Defi Dyrnwr, cath ddu a gwyn – llygadau duon – yn dŵad o'r jim. Mae o'n treulio oriau yno bob dydd. Dyna pam mai fo ydi paff-gath orau'r pentref yma. Mi aeth am chwe rownd efo Lenocs o'r pentref nesa' – cyfartal oedd hi ar ddiwedd y dydd. Mae yna ail ornest ar y gweill pan gaiff Sami Smŵdd afael ar ardd ddigon mawr. Wrth gwrs, er ei fod o'n ddigon cryf i godi casgen, mae yna olion hen gwffas braidd ar Defi – craith uwch ei lygad de; tamaid o'i glust chwith wedi mynd i orbit, a dant neu ddau wedi torri nes ei fod o'n siarad braidd fel sarff, efo pob S yn chwislo. Ond y mae hi'n beryg bywyd i neb gymryd unrhyw sylw o hynny, heb sôn am wneud hwyl am ei ben o. "Ssefwch chi, pwy ŷch chi ei eissie?" meddai rhyw ddiniweityn o'r Sowth wrtho fo unwaith, heb feddwl dim drwg. Cyn iddo fo sychu ei geg roedd Defi wrthi'n ei stwffio fo i fyny pwmp petrol – BP, fel y mae'n digwydd, ond 'dydi Defi ddim yn barticlar efo pethau fel'na. Roedd yna hen hysbyseb betrol yn dweud wrth bobol am roi TEIGR yn eu tanciau petrol; wel, mi gafodd Huws Bwtjiar GATH yn nhanc petrol ei gar o! 'Fuo Cath Sowth erioed yn yr un gêr wedyn rywsut. "Cathastroffig", oedd gair Huws Bwtjiar am y peth.

Dacw fo Defi'n dŵad wyneb yn wyneb â Zoë Michelle.

CATH 9

DEFI
Helo del, ydi'r cwrcod yma'n dy boeni di?

ZOË
Nac ydyn'. Treio bod yn neis y maen' nhw.

DEFI
Neiss! Y ssglyfss annymunol! Arhossa eiliad, del, ac mi wna' i dy fywyd di'n fwy cyffordduss. Ssgramiwch hi, pronto!

ROBIN
Fel yna y bydd hi bob tro. 'Does gan neb y galon i ddadlau efo Defi – neb ond Yr Ap, efallai.

DEFI
Dyna welliant. Mi a' i â chdi adre'.

ZOË
Ond, wir, 'does dim rhaid.

DEFI
Oess. Mae yna rywfaint o gwrteissi yn y byd 'ma o hyd, ssti. Ac oss daw unrhyw gwrcyn o fewn tafliad bricssan iti mi ssetla' i o.

ZOË
Wedi bod yn y jim wyt ti?

DEFI
Ymarfer. Mi fydda' i allan yn rhedeg am chwech bob bore, cyn i rai o gathod y lle yma godi, a chyn i eraill ohonyn nhw fynd i'w gwlâu. Wedyn brecwasst yssgafn, ac i'r jim i waldio'r bag trwm, ssgipio, a rhoi tro ar y bêl-daro. Wedyn, 'tê, mi fydda' i'n ssbario am ssbel efo mhartneriaid.

ZOË
Pwy ydi'r rheini?

DEFI
O, rhyw gwrcod y mae Ssami'n cael gafel arnyn' nhw hyd y lle 'ma. Rhai ssâl ar y naw, oss ca' i ddweud, gwrthssefyll dim. Ar eu cefnau yn y ring yn un rhessi. 'Sswn i'n leicio cael mwy o janss i brofi'n hun, ssti. A be' wyt ti'n ei wneud?

ZOË
Mynd am dro bach.

DEFI
Dillad sswanc, oss ca' i ddweud.

ZOË
O, dim ond pethau bach syml iawn ydi'r rhain.

DEFI
Ssymla'n y byd, gorau'n y byd: dyna 'fydda' i'n ei ddweud. Ond ssbïa, mae cwrcod y fro yn llygaid i gyd rownd conglau'r sstrydoedd yma. 'Tasswn i'n cael gafael ar y Main o Ynyss Manaw mi 'sswn i'n ei yrru o yno mewn padell fflïo.

ZOË
O, Defi!

DEFI
Fel hyn.

ROBIN
'Rargian annwyl, mae Defi wedi cydio ym mun lludw llawn Mrs
Williams y Post ac wedi ... do, wir ... ei daflu o i ardd Robas
Plisman. 'Fydd hwnnw ddim yn rhy hapus – er, y mae yna un peth
yn o sicir, 'does yna ddim fawr o beryg i Robas ddŵad o hyd i bwy
wnaeth hyn.

DEFI
Mi fedra' i gerdded ar ddwy bawen, ssti ... Ti eissio 'ngweld i'n
gwneud hynny?

ZOË
Wêêl ...

DEFI
Fel hyn y bydda' i'n gwneud. Ar y ddwy bawen flaen i ddechrau
... ac wedyn, ar y ddwy bawen ôl ... Mae hyn yn datblygu'r cyhyrau
'ssti, ac yn fy ngwneud i'n gryf, yn ddigon cryf i sstido unrhyw
bwssi ssy'n niwssans i ti, del.

ZOË
Ond Defi, wir, 'does yna neb yn niwsans i mi. Treio bod yn neis y
maen' nhw.

DEFI
Neiss! Neiss! Mi ro' i neiss iddyn nhw! Yn gwneud niwssanss
ohonyn' eu hunain i ferch ifanc mor glwss ... Mi fedra' i redeg at yn
ôl 'ssti, yn wyssg fy nghefn. Wyt ti eissio gweld?

ROBIN
Be' mae Defi'n ei wneud rŵan eto? Mynd 'wysg ei gynffon! Wel,
be' nesa'? Mi sefith ar ei ben, 'fuaswn i'n synnu dim ... Be'
ddwedais i! Catho pawb! – mae o'n sefyll ar ei ben ar y palmant!
Mae o'n siŵr o fod yn hurtio'n lân.

DEFI
Dyma dy dŷ di yntê?

ZOË
Ie.

DEFI
Ga' i ddŵad i mewn am ssosseraid o lefrith?

ZOË
Wel ... wel ... mi fydd arna'i eisio molchi i fynd allan yn nes ymlaen
... ond ...

> **CÂN DEFI DYRNWR A ZOË**
> DEFI
> Ond, pwssi, mae'n damp 'fan hyn.
> ZOË
> Na, 'dydi hi ddim 'fan hyn.
> DEFI
> Ond, pwssi, di'm yn neiss 'fan hyn.
> ZOË
> Mae'n rhaid imi fynd.
> DEFI
> Ond, pwssi, di'm yn neiss 'fan hyn.
> ZOË
> I molchi fy hun.
> DEFI
> Mae `ngwddw i'n grass, 'fan hyn.
> ZOË
> A sbïo ar fy llun.
> DEFI
> Mae llefrith mor dda at hyn.
> ZOË
> I mi fod yn ddel.
> DEFI
> Ond, pwssi, mae'n wirioneddol damp 'fan hyn.

ZOË
Mynd allan mewn sbel.
DEFI
Ond, pwssi, 'dydi hyn ddim yn deg;
Mae hi'n edrych yn debyg i law.
ZOË
Wel, efallai yn wir.
DEFI
Mae'n braf yn dy dŷ bach, del.
A, wir, rwyt ti'n wasstad yn sswel.
ZOË
Ydw i? Ie ... wel ... wel.
DEFI
O, pwssi, mae'n braf yn dy dŷ.
Ac rwyt ti mor glwss wrth y drwss.
ZOË
Ydw, mi ydw i.
DEFI
Beth am i mi gael dod 'mewn?
ZOË
Am funud bach, bach yntê,
Achos, Defi, mae'n damp yn 'fan hyn.
DEFI
Pwssi, mae'n damp iawn, iawn yn 'fan hyn.
ZOË
Wel, tyrd yn dy flaen i mewn.
DEFI
Pwssi, dyma fi ar fy ffordd
Fel bwled o wn.
ZOË
Achos, Defi, mae hi'n damp,
Yn damp iawn, iawn yn 'fan hyn.

ROBIN
A dyna'r ddau yna'n weddol hapus, a'r holl gwrcod eraill yma,
sydd wedi yn sbecian rownd corneli ar y ddau, yn anhapus – wel,
am ryw hyd, beth bynnag. Gyda llaw, 'dydi hi ddim mor wlyb â

hynny; wedi bwrw glaw yn y nos y mae hi, fel y dwedais i ar y dechrau. Chwilio am esgus yr oedd Defi Dyrnwr a Zöe Michelle; fel'na y mae hi yn yr hen fyd yma.

Mae hi'n ddiwrnod mart yma heddiw. Mae Wil Ffarmwr, o'r Feidiog Fawr, wedi cyrraedd: mi wela' i ei hen hen drybeilig hefyd – Landrofer o yn fan'cw. Os ydi o yma, siawns nad ydi Ifan John, ei gath o, yma hefyd. A! Dacw fo Ifan wrth y lloc defaid. Mae o'n gath drilliw, cap stabal am ei ben, cortyn beindar am ei ganol, ac y mae ganddo fo draed go fwdlyd. Mae'i draed o bob amser yn fwdlyd – on'd ydi o dragwyddol yn trajan trwy'r buarth lleidiog yna ar y fferm.

Mae Ffred Cochyn ar ei hald o gwmpas y lle, yn gobeithio gweld wy wedi torri m'wn. Mae o'n sgut am wyau, fel y mae o'n sgut am bopeth arall y gellir ei fwyta. Mae o'n 'nabod Ifan John yn dda, ac mi wela' i ei fod o am osgoi'r hen law, os gellith o, achos os dalith Ifan o fe'i cadwith o yno'n dal pen rheswm am allan o hydion, a'r hen Ffred eisio sgowtio am rywbeth i'w fwyta. Oho! Mae Ifan y tu ôl i Ffred, ac yn rhoi pawen – fudur – ar ei ysgwydd o.

CATH 10

IFAN JOHN
Wel, yr hen frawd, sut wyt ti?

FFRED
O! O, chdi sy 'na Ifan ; 'welais i mo'not ti. Sut ma'-i?

IFAN JOHN
Prysur 'tê, prysur. 'Does yna ddim paid ar y gwaith sy'n galw arnom ni fel ffarmwrs. Pawb ohonom ni wrthi hi o fore gwyn tan nos.

FFRED
'Ti'n gwneud rhywbeth rŵan?

IFAN JOHN
Cadw golwg ar y defaid yma'n 'tê. Er 'wn i ddim i be', mae eu prisiau nhw'n isel felltigedig. Mewn gwirionedd 'dê, 'dydi hi ddim yn werth y drafferth o'u cadw nhw.

FFRED
Roeddwn i'n meddwl fod yna grantiau i'w cael at gadw defaid – neu beidio â'u cadw nhw.

IFAN JOHN
Grantiau, oes; ond rwyt ti eisio bod mor llygadog â hebog i'w gweld nhw. Pitw, 'tê, pitw.

ROBIN
Mae Ifan yn poeri rŵan.

IFAN JOHN
'Dydi hi ddim yn werth y drafferth o lenwi ffurflenni – mwy na gwerth y grant yn mynd ar inc. Ac, yn sicir, mae'r llywodraeth yn gwario mwy na gwerth unrhyw ddafad ar brintio ffurflenni i hawlio grant. 'Dydi'r llywodraeth yma'n dallt dim ar ffarmwrs. A sbïa di arnyn' nhw, y gwleidyddion dwy-a-dimai yma, sy gennym ni, bron yn rhy dew i fedru stwffio i mewn i'w Jagiwars.

FFRED
Mae hi'n fyd caled arna' innau hefyd – dyna pam yr ydw i hyd y lle yma'n chwilio am ryw damaid llcia' i'w fwyta. Felly, os gwnei di f'esgusodi ...

IFAN JOHN
'Wyddost ti faint ydi pris dîsyl?

FFRED
Drud iawn m'wn. Ydi dîsyl yn da i'w fwyta?

IFAN JOHN
'Wn i ddim am fwyta, ond mae lori neu fan neu dractor neu Landrofer yn llyncu'r stwff. Ac y mae ei bris o, iti gael gwybod, wedi codi dair ceiniog y lityr yn y mis diwetha' yma. Mae hwn sy gen i, y Landrofer yma, yn costio tua dwybunt yn fwy i lenwi ei danc o nag oedd o fis yn ôl.

FFRED
Taw â dweud. Wel, mae'n rhaid ...

IFAN JOHN
Dwy bunt y tanc, dallt di. Ac a ydym ni'n cael unrhwy sentan yn fwy am ein cynnyrch ...

FFRED
Ydych chi?

IFAN JOHN
Wel, nac ydym, dim dimai. Sut, felly, rwyt ti'n gofyn ...

FFRED
Na, 'dydw i ddim yn gofyn, ac yr ydw i, fel y gweli di, ar dipyn o hâst ...

IFAN JOHN
... yr ydym ni'r ffarmwrs yn gallu fforddio byw? Wel, yr ateb i hyn'na ydi nad ydym ni ddim ...

FFRED
'Dydych chi ddim yn be'?

IFAN JOHN
Ddim yn gallu fforddio byw. Y mae'r llywodraeth ddi-ddim yma â'i chyllell ynom ni; 'dydyn' nhw ddim eisio gweld ffarmwrs yn gallu byw. Os nad wyt ti'n giamstar efo compiwtars neu'n fflash ym myd diwydiant, neu'n byw o fewn pellter poeri i Lundain 'does gan y gwleidyddion yma ddim diddordeb ynot ti. 'Ellith unrhyw un fwyta compiwtars?

FFRED
A sôn am fwyta, mae'n wir ddrwg gen i – sgwrs ddifyrra'n fyw – ond y mae'n rhaid i mi ...

IFAN JOHN
Na all.

FFRED
Na all pwy, be'?

IFAN JOHN
'All neb fwyta compiwtars.

FFRED
'Ddwedais i ddim fod neb yn medru.

IFAN JOHN
Ie, ond dweud yr ydw i na all neb fwyta compiwtars ac mai ffarmwrs sy'n magu anifeiliaid a thyfu cnydau i bobol gael bwyta.

FFRED
Da iawn chi. Ac fel un nad ydi o'n bwyta compiwtars, rydw i am fynd i ...

IFAN JOHN
Mae'r rheini'n ennill miliynau 'sti.

FFRED
Pwy?

IFAN JOHN
Pobol compiwtars 'dê; ennill miliynau. Ac rydw i'n gofyn, a all unrhyw gompiwtar ddodwy wy, a all unrhyw un odro compiwtar ...

FFRED
Wel mi fedri di ordro'r rhan fwya' o bethau ...

IFAN JOHN
Godro, Ffred, nid ordro. Godro a dodwy ...

FFRED
Ac, os nad ydw i'n camgymryd, mae yna rywun wedi gollwng wy yn fan'cw.

IFAN JOHN

Mae wyau'n mynd i lawr, yn union fel y mae eu prisiau nhw. Wyddost ti nad oes yna, bellach, ddim dimai o elw'n dŵad acw o'r holl ieir sy gennym ni ...

ROBIN

Y mae Ffred wedi diflannu'n fwyaf sydyn.

IFAN JOHN

... 'Dydi godro ddim yn talu chwaith. Be' sy 'na'n talu ar ffarm heddiw, rydw i'n dy glywed di'n gofyn. Wel, mi ddweda'-i wrthyt ti ... Ffred? Ffred!

I ble'r aeth y cochyn yna rŵan, os gwn i, a ninnau ar ganol sgwrs mor eithriadol o ddiddorol a phwysig.

CÂN IFAN JOHN

Mi hoffech wybod sut
Mae dyn fel fi yn byw:
Dirgelwch mawr i mi,
Dirgelwch mawr iawn yw.
Rwy'n slafio drwy y dydd
Ynghanol gwynt a glaw;
A beth yw'r tâl 'dw-i'n ei ga'l?
Ond byd o fwd a baw.

CYTGAN
Rwyf ar fy nhraed yn hwyr
Ac yn codi ar doriad dydd
I garthu beudái am dâl sydd yn llai
Na'r tâl i gompiwtar-ddyn
Am awr o'i amser rhydd.

Mae costau byw yn fawr,
Tâl am ein nwyddau'n fach;
Mae eisio gras i fyw
Ar ddŵr ac awyr iach.
Ac nid yw grantiau'n awr
Yr hyn a fuont gynt,

Gwleidyddion sy'n byw'n fras
A ninnau'n byw ar wynt.

Pris dîsyl a rydd fraw
I bawb sy'n byw'n y wlad,
A dweud y gwir i chi
'Does undim yma'n rhad.
Mi fydd ein byd ar ben
Os na chawn ni help llaw,
'Fydd dim o'n gwlad ar ôl
Ond awyr, gwynt, a glaw.

ROBIN
Tua'r amser yma, bron bob dydd, mae Cathila ac Agatha, yr
Efeilliaid, yn dod i lawr y ffordd yma. Fe alla' i, yn sicir siŵr,
ddweud mai'r ddwy yma ydi'r cathod mwyaf surbwch yn y
pentref yma, yng Nghymru, yn Ewrop ac, o bosib, yn y Bydysawd
i gyd. Petai gan gathod bantomeim 'fyddai dim rhaid chwilio
ymhellach na'r ddwy yma am rai i chwarae rhannau Surbwch 1 a
Surbwch 2, chwiorydd Sinderela. Mae'r ddwy'n debyg iawn i'w
gilydd, yn rhyw liw llwyd pwdlyd, ond bod gan Cathila glust dde
ddu, a chan Agatha glust chwith ddu. 'Dydi'r ddwy'n gwneud dim
byd efo neb arall, os gallan' nhw beidio – eithaf peth, efallai.

CATHOD 11

AGATHA
Mae'r hen ddyn gwirion yna ar waelod y stryd.

CATHILA
Hen ddyn hyll a gwirion.

AGATHA
'Swn i'n dweud mai fo ydi'r hen ddyn gwiriona' ...

CATHILA
... a hylla' ...

AGATHA
... yn y pentre' yma ...

CATHILA
... yng Nghymru ...

AGATHA
... yn Ewrop ...

CATHILA
... ac, o bosib, yn y Bydysawd i gyd. Dyna pam nad ydw i ...

AGATHA

... na finnau chwaith ...

CATHILA

... byth yn sbïo arno fo ...

AGATHA

... nac yn torri gair ag o.

CATHILA

'Welaist ti'r hen beth goman yna ...

AGATHA

... Zoë Michelle ...

CATHILA

... yn gwâdd yr hen ryffian yna ...

AGATHA

... Defi Dyrnwr ...

CATHILA

... i mewn i'r tŷ.

AGATHA

'Dydi rhai pobol ddim yn gwybod sut y mae bihafio ...

CATHILA

... mewn cymdeithas ddesant. Ych, mi rydw i'n clywed yr oglau mwya' ofnadwy.

AGATHA

Mae hi'n ddiwrnod mart, diwrnod pan fydd yn lle yma'n llawn arogleuon ...

CATHILA

... amaethyddol.

AGATHA
Tail gwartheg, baw ieir, chwys.

CATHILA
Digon i droi ar rywun. Mi fydd yn rhaid imi gael bath ar ôl mynd adre'.

AGATHA
Bath efo disinffectant rhag ofn fod yna ryw haint yn yr awyr efo'r holl hen bethau ffiaidd yma o gwmpas.

CATHILA
A sôn am bethau ffiaidd ...

CATHILA
... yr Ifan John fochynnaidd yna.

AGATHA
Drewi.

CATHILA
Fel buriau, fel sgync.

AGATHA
'Sat ti'n gofyn i mi, y fo ydi'r gath futra' yn y pentre' yma ...

CATHILA
... yng Nghymru ...

AGATHA
... yn Ewrop ...

CATHILA
... ac, o bosib, yn y Bydysawd i gyd. Diolch byth nad ydi'r sglyfa'th yn dŵad i faeddu awyr y lle yma'n amlach.

AGATHA
'Dydi rhai heb gael eu magu i fod ynghanol cathod desant.

CATHILA
Mae rhai cathod wedi eu magu fel moch. Byw mewn cwt.

AGATHA
Mewn twlc budur yn llawn slwtj drewllyd ...

CATHILA
... y mae eu lle nhw.

AGATHA
Maen' nhw wrth eu bodd yn stompio mewn drewdod ...

CATHILA
... slwtjlyd. 'Fedra i ddim dioddef meddwl ychwaneg am y peth.

AGATHA
Mae pethau ych-a-fi fel'na islaw sylw.

CATHILA
Maen' nhw'n ffiaidd ac annymunol ac ...

AGATHA
... anghynnes a budur, budur, budur.

CATHILA
A sôn am fudur, sbïa, yr hen beth gwirion yna, Roci.

AGATHA
'Ddylen' nhw ddim gadael pethau fel'na allan ar y stryd i ganol cathod desant.

CATHILA
'Ddim hanner call. Be' mae plismyn y lle 'ma'n ei feddwl wrth adael peth fel'na'n rhydd.

AGATHA
Mae eisio i roi o dan glo.

CATHILA
Mewn dyfnjwn.

AGATHA
A thaflu'r goriad i ganol y môr.

CATHILA
Ych, mae'r anghenfil yn dŵad ffor'ma. Paid â sbïo arno fo.

AGATHA
Mi gymrwn arnom ein bod ni'n sbïo i ffenest y siop yma nes y bydd o wedi mynd heibio.

CATHILA
Gobeithio na wna' i ddim ffeintio efo'i oglau fo.

AGATHA
Biti na fuasai'n hancesi efo oglau sent arnyn' nhw gennym ni.

CATHILA
Camgymeriad oedd dŵad allan hebddyn' nhw.

ROBIN
O! Mae hi'n mynd i fod yn helynt. Mae Roci wedi gweld Surbwchferch Un a Dau ac yn gwneud ati i dynnu arnyn' nhw. Mae'r ddwy yn cymryd arnyn' sbïo i ffenest y siop acw. Mae Roci wedi stopio y tu ôl iddyn' nhw.

CATHILA
Agatha, wyt ti ddim yn clywed rhyw oglau drwg yn 'fan hyn?

AGATHA
Rhywbeth yn bod ar y draeniau, mae'n debyg. Mi fydd yn rhaid imi ddweud wrth Ddynes y Tŷ Acw am gwyno wrth y Cyngor.

CATHILA
Cywilyddus.

ROCI
A sut y mae'r ddwy fferat heddiw? Diwrnod iawn i fynd i sniffian o gwmpas on'd ydi?

AGATHA
Cathila, wyt ti'n clywed lleisiau?

CATHILA
Rydw i'n meddwl fy mod i'n clywed un llais; llais cras ac annymunol iawn.

AGATHA
Llais rhywun fuasai wedi ei fagu mewn baw, a hynny wedi amharu ar ei lais o.

CATHILA
Yn union felly.

ROCI
Surbwch Un a Surbwch Dau
Yn sniffian, clywed oglau;
Surbwch Un a Surbwch Dau
Yn clywed llais neu leisiau
Sy'n meiddio mentro i'w clustiau
Heb gymryd bath i ddechrau.
 Ydi'r ffordd yma ddim braidd yn fudur i draed boneddigesau mor dyner? Pam na cherddwch chi ar eich trwynau a sniffian eich ffordd adre'?

AGATHA A CHATHILA
Os nad ei di o'ma'r munud yma mi fyddan' ni'n galw am blisman.

ROCI
Os cewch chi afael ar un digon glân.

Sniff-sniff yma
Sniff-sniff draw
Sniff a sniff ym mhobman -
A! Drewdod ydi'r cyfan.
Dyma chi, dwy Ddrewdodgath y plwy'. Dydd da, dydd da lêdis.

ROBIN
Mae Roci'n mynd ac y mae Agatha a Chathila'n sbïo ar ei ôl o fel blêds.

CATHILA
Mae eisio crogi'r mochyn yna.

AGATHA
Crogi! Mae eisio – esgusoda fi – cicio'i din o, 'sat ti'n gofyn i mi.

> *CÂN AGATHA A CHATHILA*
> Beth sy 'na i ni mewn lle bach fel hyn
> Lle mae pawb mor dwp ac mor goman â chwyn,
> Yn fudur tu hwnt ac yn ych-a-fi –
> Ddim ffit i fod gyda dwy lêdi, fel ni.
>
> Beth sy 'na i ni mewn lle bach mor flêr,
> A baw hyd y strydoedd a llwch ar y sêr;
> Mae eisio brws bras i sgubo y dre'
> I'w gwneud hi'n fwy addas i lêdis, yntê!
>
> Mae eisio rhoi hwi i'r holl gari-dyms,
> Sy'n syndod o ddwl, yn methu gwneud syms,
> Yn dwp ym mhob maes, yn hyll ac yn flin,
> Yn gwybod dim byd am reolau heijîn.
>
> Mor braf fyddai'r byd, mor ddel ac mor lân,
> Mor syndod o swynol, llawn miwsig a chân,
> Mor ddesant, mor llawn rhinweddau di-ri'
> Petai 'na neb yma ond lêdis fel ni.

ROBIN

Dyna ddigon ar y ddwy wenwynig yna.

Tua'r adeg yma o'r pnawn mi fydd Jôs Becar yn rhoi'r bara a'r sgons sych a phethau nad ydi o heb eu gwerthu nhw'r diwrnod cynt yn y buniau sy yng nghefn y becws. A sbïwch chi pwy sy 'na yn ei gwneud hi am fan'no: Magi Ceridwen. 'Does yna neb yn gwybod yn iawn faint ydi oed Magi Ceridwen; 'fuaswn i'n synnu dim iddi gael ei geni pan ffurfiwyd Y Sefydliad. Y Sefydliad ydi Cathod y Pnawn. Mae Magi Ceridwen yn glamp o gath frech, rhyw lwydaidd efo treigliadau duon (handi at helpu efo'r Dysgwyr) drosti. Hi ydi'r unig gath y gwn i amdani sy'n gwisgo sbectol. Mynd i edrych a ydi Jôs wedi rhoi hen sgons neu deisis cri a phethau o'r fath yn y bun y mae hi. Mae'r Sefydliad yn sgut am bethau felly efo'u paned ar ôl i'w siaradwyr-gwadd nhw orffen dweud eu dweud yn y cyfarfodydd

CATH 12

MAGI CERIDWEN

Hm. Be' sy 'na'n fan hyn? Torth frith! Wel, mi fydd y criw mewn ecstasi'r pnawn 'ma, yn enwedig Hulda. Mae Hulda'n dweud yn amal – yn rhy amal braidd – nad oes yna ddim yn y byd yn debyg i dorth frith. Mae'r dorth yma braidd yn galed, 'dw-i ddim yn dweud, ond mi fedar y criw socian eu brechdanau yn eu paneidiau neu, yn achos Hulda, yn ei soser – mae hi'n dal at yr hen arfer o yfed ei the o soser. Mi clywa-i hi'r funud yma – ll, ll, ll – wrth iddi hi sugno ei the o honno.

'Doedd y sgons yna ddo'th Hannah Meri i'r cwarfod diwetha' ddim yn rhyw beth'ma iawn. Gormod o siwgwr ynddyn' nhw 'fuaswn i'n dweud. Ac yr oedd y roc cêcs yna oedd ganddi hi wedi eu henwi'n galed o gywir. Rydw i'n amau fod Elsi Huws wedi malu dant wrth dreio cracio ei ffordd drwy'r cyrins. Roedd hi'n gyndyn iawn o wenu ar ôl y 'ddamwain', ac yn rhoi ei phawen wrth ei cheg pan fyddai hi'n methu peidio.

'Dda gen i mo'r bara-sgleis yma. Rhy soeglyd o beth mwdredd. Mae bwyta gormod o ryw sothach meddal yn gwneud drwg i ddannedd rhywun. 'Does yna ddim byd gwaeth na chael rhyw soeg gwyn yn glynu wrth ddannedd rhywun.

Go-lew oedd y sgwrs yn y cwarfod diwethaf hefyd, "Y Saith Ffordd Orau i Ddal Llygod". Mae pob cath efo'r mymryn lleiaf o hunan-barch yn gwybod yn iawn sut y mae dal llygod. Rydw i'n cofio'n iawn sut y byddwn i wrthi yn yr hen le yna roedd Musus Huws Ni'n byw ynddo fo pan briododd hi. Yn y nos mi fyddwn i'n eistedd ar yr hen fwrdd llechen lle byddai hi'n pobi, eiste'n dawel bach, dim smic, dim symud. Cadw golwg ar yr un twll bach hwnnw oedd yn y wal – gweld fel cath y dyddiau hynny, twllwch yn peri dim trafferth. Wedyn mi fyddai yna symudiad bach ofnus yng ngheg y twll, a rhyw smicyn o sglein: llygaid llygoden. Mi fyddwn innau'n swatio'n barod i gipio. Bob yn dipyn bach mi fyddai'r pen yn gwthio allan o'r twll. A phan fyddai o wedi dŵad allan rhyw hanner modfedd – 'wn i ddim be' yn y byd fyddai hynny yn y milimedrau yma y maen' nhw'n rwdlan efo nhw heddiw – mi fyddwn i'n saethu 'mhawen allan a bachu ei phen hi efo 'ngewin, a'i thynnu hi allan. Un brathiad bach siarp ac mi fyddai hi'n nos ar y g'nawes. Hynny ydi, os na fyddwn i'n teimlo fel tipyn o hwyl. Yr adeg honno mi fyddwn i'n rhoi swadan iawn iddi ar ei phen, gan ofalu peidio â rhoi gormod o swadan. Mi fyddwn innau wedyn yn gorwedd ar wyneb y bwrdd a chogio bach cysgu. Pan ddoi'r llygoden ati'i hun mi fyddai hi'n meddwl fod ganddi siawns go dda i ddianc, ac mi fyddai hi'n ei chychwyn-hi. Yna swadan arall iddi nes y byddai hi'n llonyddu. Mi fyddwn i'n cael oriau o ryw hwyl diniwed, os byddwn i'n teimlo felly.

Sosej-rôl. Wel, dyma imi be' ydi lwc. Braidd yn brin efo'r sosej ydi Jôs, ond y mae o'n un eitha' da am grwst. Mi gadwa i hon i mi fy hun. Sut bynnag, 'does yna ddim digon ar gyfer y Genod. Mi fyddai hi wedi mynd yn ffrae rhwng Gwenhwyfar a Sindi mewn dau funud.

Teisis cri. Neis hefyd. Rhaid fod Jôs wedi gwneud camgymeriad – cymysgu stwff heddiw a stwff ddoe. Mi fydd yn gwneud hynny weithiau; ddim yn amal, ond mi fydd y peth yn digwydd weithiau.

Rŵan 'te, lle mae fy mag plastig i? Mae yna faint fynnoch chi o'r rhain i'w cael yn Safeways. Dyma ni, i mewn i'r bag â nhw, cacenni cri, bara brith, sgons. Hyfryd! Sgram iawn i'r Genod yn y cwarfod.

CÂN MAGI CERIDWEN
Bawennau bach, mewn oesau fu
A fuoch chwi ar hyd y lle
Yn cerdded ar ôl llygod lu
O'r Gogledd draw i lawr i'r De?

82

Rhowch wenwyn llygod hyd y lle,
Rhowch chwi ryw drap i lawr o hyd,
Pawennau bach sy'n well, yntê,
Na'r cwbwl oll, ac yn llai drud.

Ni fyddaf lonydd yn y byd
Nes cydnabyddir dan y ne':
Pawennau bach sydd dda o hyd
Am ddala llygod hyd y lle.

ROBIN
Mae yna ryw hen iâs ynddi hi rŵan. Fel'na y mae hi'r adeg yma o'r
flwyddyn. Rydw i'n meddwl y gwna' i ei hel hi am adre'. O ie! Lwc
imi gofio, rydw i eisio galw yn Tesco am rywbeth bach i'r hen gath
acw.